Ce volume 5 de *Toto, le super Zéro*, regroupe des blagues universelles, que les enfants se racontent dans les cours de récré depuis que l'école existe, aussi bien que des blagues inédites, adaptées et écrites pour notre cancre préféré.

Illustrations **Serge Bloch**

Textes **Franck Girard**

Couleurs **Rémi Chaurand**

Imprimé en Chine.
Dépôt légal : Juin 2009-Tirage : février 2014
Conforme à la loi du 16 juillet 1949
sur les publications destinées à la jeunesse

ISBN : 978-2-84801-466-1

TOTO

Un sacré Zigoto !

Tourbillon

Vous nous

Moi, c'est Toto !

Tu me connais sûrement, je suis installé au fond de la classe, près du radiateur.
Mais je passe plus de temps dans le bureau du directeur. Il me met dans un coin et il m'oblige à ne rien faire. Ça tombe bien, ce que je préfère, c'est ne rien faire !

Gogo

Gogo, c'est mon meilleur copain.
Le problème avec Gogo,
c'est qu'il est frappadingue.
Pour de vrai !

reconnaissez ?

Flagada

Flagada, il est feignant...
Pire que moi ! Tout ce qu'il fait,
il le fait au ralenti.
Son père est comme ça,
son grand père est comme ça...
Y paraît que c'est normal,
c'est de famille.

Mimi

Les filles, c'est compliqué. Mais Mimi,
c'est pas pareil. Les autres, ils nous
appellent les deux tomates :
il paraît qu'on devient tout
rouges quand on se voit. C'est
vrai que je l'aime bien, Mimi...

C'est la rentrée des classes.
De retour à la maison, Toto se confie
à sa mère :
– Tu sais, Maman, le premier jour d'école,
ce ne serait pas si nul, en fait...

... s'il n'était pas suivi du deuxième jour
d'école, du troisième jour d'école,
du quatrième jour d'école...

Toto retourne chez le médecin :
– Alors, Toto, ce médicament que je t'ai donné pour tes problèmes de mémoire, ça t'a fait de l'effet ?
– ... Quel médicament ?

– Toto, à ton avis, quelle est la première chose que Louis XIV a faite lorsqu'il a pris le trône de France ?
– S'asseoir dessus ?

– Toto, comment fais-tu pour trouver le résultat de la division de 145 par 21 ?
– Je demande à quelqu'un de bon en maths...

COCO, COCO

COCO

Mon Dieu ! Le perroquet a disparu !

Toto, tu n'as rien remarqué d'anormal en mon absence ??

Non, rien... à part le chat qui s'est mis à parler...

Papa :
– Mais enfin, Toto, pourquoi ne travailles-tu pas à l'école ?
Déballant son cartable, Toto s'exclame :
– Non mais t'as vu un peu, tous ces livres qu'il faut se fourrer dans la tête ?!
– Et alors ?
– En fait, tu vois, si j'y fourre tout ça, j'ai peur d'attraper une grosse tête...

Toto rentre de l'école, sacrément amoché, un œil au beurre noir, le bras en compote, les genoux en sang. Sa maman, affolée, s'inquiète :

– Mais enfin, mon pauvre Toto, que t'est-il arrivé ?!

– En sortant de l'école, dans la rue, j'ai cru qu'un petit minable m'avait bousculé.

– Et ?

– Ben, c'était pas un petit minable...

– Madame, je suis sûr que vous savez que Janvier ça commence par un J… et pourtant, ça commence par un P !
– Comment ça, Toto ? dit la maîtresse.

Qu'est-ce que tu racontes ?
– Ben oui... Pourtant, ça commence par un P !!

Toto et Gogo se promènent dans la rue.
Soudain, un bruit impressionnant les arrête. Toto lève la tête pour regarder passer un énorme avion.
– Ah, mais je le reconnais, c'est l'avion du président !
– T'es fou, Toto ! répond Gogo. On aurait d'abord vu passer des motards...

– Toto, qu'as-tu fait ce week-end ? demande la maîtresse.

– J'ai parlé à un Martien !

– Mais enfin, Toto, les Martiens vivent sur Mars...

– Ben oui. Je vous dis pas comment j'ai dû crier fort !

Hou hou, je suis là !

Ça a été, ces petites courses ?

Oui... Enfin, il faut que je te dise, j'ai eu un petit souci avec la voiture...

Qu'est-ce qui s'est passé ?

Oh ! rien...

Comment ça, rien ?!

C'est juste un vélo qui m'est rentré dedans.

Un vélo ?
Mais combien de fois ??

La maman de Toto, désespérée, lui demande :
– Mais enfin, Toto, pourquoi as-tu d'aussi mauvaises notes ?
– Parce que ce n'est pas moi qui les mets !

Le médecin demande à Toto :
– Et ça fait longtemps que tu te prends pour une poule, Toto ?

– Oh ! ça remonte à quand j'étais encore un petit poussin...

Une nuit, Toto surprend un cambrioleur.
Il le questionne :
– Qu'est-ce que vous cherchez ?
– De l'argent !!!
– Bonne idée !... Je cherche avec vous !

La maîtresse interroge Toto :

– Combien l'alphabet contient-il de lettres ?

– 8 ! répond Toto.

– **Comment ça, 8 ?**

Toto recompte lentement :

– A... L... P... H... A... B... E... T...

Ça fait bien 8.

Toto rentre chez lui.
– Papa, cette fois-ci, tu vas être fier de moi !
– Ah !....
– Aujourd'hui, j'ai gagné... au moins un euro !
– Ah !... Et comment as-tu fait ?
– Ben voilà, en sortant de l'école, j'ai couru après l'autobus. Et, au lieu de le prendre, j'ai couru jusqu'au bout ! jusqu'à la maison !
– C'est dommage, Toto ! Si tu avais couru après un taxi, tu aurais gagné vingt fois plus...

– Toto, viens m'aider, demande Maman. On va changer ta petite sœur…
– Pourquoi ? Elle est déjà usée ?!

– Maman ! Je viens de comprendre pourquoi ils ne parlent pas, les poissons !

C'est pour ne pas avaler l'eau en ouvrant la bouche...

Ça ne va plus du tout !
Il ne fait plus rien !

Toto !
On a pris
une décision…

On va t'envoyer à la campagne !
Chez l'oncle Robert…

AU REVOIR

La première nuit...
Allez, debout là-dedans ! Faut aller chercher du maïs pour les bêtes...

4:00

C'est du maïs sauvage ??
Ben non, pardi !

À quoi ça sert de lui tomber dessus en pleine nuit, alors ?
?

Garçon !

Pouvez-vous me dire exactement ce que cette mouche fait dans la soupe de mon fils ?
Apparemment, monsieur, elle nage...

– Toto, c'est le premier devoir à la maison que tu me rends depuis la rentrée ! Qu'est-ce qui s'est passé ??
– Ben en fait, maîtresse, j'ai pas eu le temps d'inventer une bonne excuse...

Maman essaie d'apprendre les bonnes manières à Toto. Elle donne tous les exemples qu'elle peut trouver pour expliquer à son cher Toto qu'on ne réussit dans la vie que si l'on sait faire preuve de politesse envers les autres :

– Sache bien, Toto, qu'on ne perd jamais rien à être poli.

Toto réfléchit un instant :

– Oh si ! Maman. On peut perdre sa place dans le bus !

Monsieur, accepteriez-vous de répondre à quelques questions ?
?

C'est pour un sondage sur les après-rasage... Dites-moi, que mettez-vous après vous être rasé le matin ?

Ben... mon pantalon !
GASP !

Toto demande à Gogo :
– Au fait, comment elle s'appelle, ta mère ?
– Ben, «Maman», pourquoi ?

– Docteur, je ne comprends pas. À chaque fois que je bois un bol de chocolat chaud...

Toto arrive en courant dans le salon :

– **Papa, Papa ! Zaza est en train de manger le journal !**

– **Ce n'est pas grave, Toto, c'est celui d'hier…**

... j'ai mal à l'œil droit !

– Ce n'est rien, Toto. La prochaine fois, pense à enlever la cuillère...

CANTINE
Légumes aujourd'hui !
Qu'est-ce que c'est encore que ce truc ?...
Ma maman dit que c'est bon pour la peau...
...
Mais j'ai pas du tout envie d'avoir la peau verte !!

– Docteur, j'ai de terribles pertes de mémoire. Que dois-je faire, à votre avis ?

– Commencez par me payer ...

Tu vois le problème, Flagada ? dit Toto. Notre chat, il est malade. Comme un chien !

Dis, Maman, qu'est-ce qui te ferait plaisir pour ta fête ?

Faut dire qu'il a une fièvre de **cheval**.

Et comme il est têtu comme un **âne**... c'est pas facile de soigner tout ça.

MONUMENT
HISTORIQUE

De quand date ce château ?
Du XIIe siècle.
GUIDE

Je me demande bien ce qu'il leur a pris à l'époque de construire un si beau château juste à côté d'une autoroute...
GASP

Toto discute
avec son père :
– Je crois que Papi
pense que Maman
est une fée...
– Comment ça ?!

– Il arrête pas de dire qu'elle te fait
marcher à la baguette...

La maman de Toto a rendez-vous avec la maîtresse.
Cette dernière lui demande :
– Alors, comme ça, Toto n'envisage pas de poursuivre ses études plus tard, d'après ce qu'il m'a dit ?

– Que voulez-vous ? répond la maman de Toto. Il en est déjà dégoûté...
Puis elle ajoute :
– Faut bien avouer que vous ne l'encouragez pas beaucoup non plus ! Vous le mettez toujours dernier !

– Toto, cite-moi quatre membres de la famille des invertébrés ?

– La maman, le papa, le frère et la sœur...

– Toto, 10 bouteilles de vin à 3 euros chacune, combien ça fait ?

– À la maison, ça peut peut-être faire trois jours, madame...

Toto !

Lundi dernier, tu m'as expliqué que ton devoir s'était envolé par ta fenêtre pendant la nuit...

Mardi, tu m'as raconté que tu l'avais retrouvé, mais que ton papa l'avait emporté par erreur à son travail...

Jeudi, tu m'as expliqué que ta petite sœur l'avait déchiré en mille morceaux...

Et vendredi, tu m'as raconté que tu l'avais recopié, mais que bizarrement quelqu'un avait dû te le voler...

Hier, comme tu ne m'avais toujours pas rendu ton devoir, je t'ai bien dit que je voulais parler à tes parents, n'est-ce pas ?

Euh... oui...

Alors, pourquoi ne sont-ils pas venus ?!!

Ils peuvent plus !...
Le chien les a mangés...

– Maman, Maman !
Zaza est tombée dans la baignoire !
crie Toto.
– Eh bien, retire-la, au lieu de t'affoler
comme ça...
– Mais, Maman, l'eau est
beaucoup trop
chaude !

Papa, les éboueurs sont là !

C'est bon, dis-leur que nous n'en avons pas besoin...

Toto et Gogo discutent en rentrant de l'école.
– La nouvelle voiture de mon père, elle est décapotable ! s'exclame Gogo.

Toto :
– Je dis toujours une prière avant les repas...
– C'est bien d'être pieux, Toto, dit la maîtresse.

– Pfff... répond Toto,
Eh ben, dans celle de mon père,
on peut monter à 180 !
– À 180 ?! Vous devez
être drôlement serrés...

– Ah non, c'est pas ça...
C'est pour que ma
maman fasse mieux
la cuisine !

T'as fait quoi au contrôle ?
J'ai rendu ma copie blanche !

CARNET DE NOTES

Zut ! La maîtresse va croire qu'on a copié...

Non, mais tu as vu tes notes ?!
J'aimerais bien savoir si ta copine Mimi rentre chez elle avec des 1 et des 2 sur 20...

Non, mais elle, c'est différent, ses parents sont intelligents...

– Quand je dis,
il pleuvait…
De quel temps s'agit-il,
Toto demande
la maîtresse.
– D'un sale temps,
madame !

– Toto, peux-tu compter de 1 à 20 ?
interroge la maîtresse.
– Euh… je ne suis pas sûr.
Ça vous ira si je compte
deux fois de 1 à 10 ?

Jeune homme, il est interdit de pêcher ici.
?

Mais je ne pêche pas ! J'apprends à nager à mon ver de terre...

Dis, Papa, comment je suis né ?
Hum
Euh... c'est-à-dire...
Dans un chou !
Dis, Maman...

Comment tu es née, toi ?

Eh bien, vois-tu, Toto, je suis née dans une rose.

Et toi, Mamie, tu es née dans un chou ou dans une rose ?

Ni l'un ni l'autre, Toto. C'est une cigogne qui m'a apportée...

Si je comprends bien, il n'y a pas eu une naissance normale dans cette foutue famille !!

– Comment cherche-t-on un mot dans le dictionnaire, Maman ?
– C'est simple, Toto. Pour meringue par exemple, tu cherches à «m»...
– Et pour épinard, je cherche à «aime pas» ?

Toto rentre de l'école et demande à sa mère :

– Maman, quelle heure est-il ?

– Cinq heures.

– Oh non, ça recommence !

– Pardon ?

– J'ai passé la journée à demander aux gens quelle heure il était, et tout le monde m'a dit quelque chose de différent...

– Toto, quel est le pluriel
de «un beau bal» ?
– Euh... «des bobos» ?

Vous voilà partie pour
un sacré jardinage !
Non, pas du tout. Je vais
simplement ranger
la chambre de Toto...

Toto et sa famille passent leurs vacances à la campagne.

Aujourd'hui, au village, c'est la foire aux bestiaux. Tous les paysans de la région ont amené leurs plus belles bêtes, il y en a là de toutes les espèces. Papa décide de faire découvrir à Toto et Zaza tous ces beaux animaux de la ferme. Ils admirent une vache, puis restent de longs instants devant

un magnifique poulain.
Zaza caresse de belles chèvres.
Les voilà maintenant devant un stand où se traîne lamentablement un vieux cochon.
Après l'avoir regardé un moment, le papa de Toto se permet de dire au paysan :

– Franchement, il ne me dit rien, votre cochon...

– Pardi ! répond le fermier. C'est qu'il ne parle pas à n'importe qui...

– Je suis très inquiet, dit Gogo.
Toute la journée, j'ai vu des points noirs...
– Tu as vu l'oculiste ? lui demande Toto.
– Non, pas l'oculiste. Des points noirs,
je te dis !

– Si je dis «J'étais belle», c'est à l'imparfait, dit la maîtresse. Maintenant, si je dis «Je suis belle», qu'est-ce que c'est, Toto ?

– Un mensonge, madame !

Maman dit à Toto :
– Dimanche, par ce beau temps, on ira cueillir des fraises, si tu veux bien...

À la Poste...
Je voudrais un timbre à 50 centimes, s'il vous plaît !
Tiens, petit.

– Oui, oui ! répond Toto, enthousiaste.
Et c'est moi qui monterai en premier dans l'arbre !!...

– Papa, es-tu pour la liberté d'expression ?
– Bien sûr, Toto !
Pourquoi tu me demandes ça ?
– Parce que je vais pouvoir passer quelques coups de fil, alors !

– Mon fils, tu manges comme un goret ! s'écrie Papa. Sais-tu au moins ce que c'est qu'un goret ?
– Oui, Papa. C'est le fils d'un cochon, répond Toto.

Maman, pourquoi la mariée est en blanc ?

Parce que c'est le plus beau jour de sa vie !

Et le monsieur, alors, pourquoi il est tout en noir ?

La maîtresse examine le cahier de mathématiques de Toto.

Sur le cahier, il n'y a absolument rien du tout, pas un mot, pas un chiffre. il n'y a que des pages blanches.

– Toto ! Tu vas sûrement pouvoir m'expliquer pourquoi tu n'as rien écrit pendant la leçon de calcul ?

– Bien sûr, madame. Moi, je fais du calcul mental...

?

Toto, arrête ! Tu n'as pas une langue ?
Si. Mais mon bras est plus long...

La maîtresse interroge Toto devant la carte, à côté du tableau noir :

– Toto, où se trouve le Midi de la France ?

– Euh... entre le matin de la France et le soir de la France ?

Au restaurant...
Garçon ! Il est immangeable, ce poisson !!
Je parie qu'il a au moins cinq jours !

Perdu, madame, il date de plus
d'une semaine...

Aujourd'hui, un inspecteur de l'Éducation nationale passe dans la classe de Toto. La maîtresse est très inquiète. D'autant plus que l'inspecteur décide d'interroger Toto :

– Jeune homme, combien font deux plus deux ?

– Euh... trois ! répond Toto.

Alors, la maîtresse se tourne vers l'inspecteur et dit :

– Tout de même, il l'a frôlé !

– Papa, c'est quoi un synonyme ?
– C'est un mot qu'on emploie quand on ne sait pas comment l'autre s'écrit...

– Docteur, je dois vous prévenir. Mon fils Toto a très peur. Vous êtes le premier médecin qu'il consulte.
– Madame, je dois aussi vous prévenir. C'est le premier malade que je reçois...

SBLAM

Dis, Papa, tu sais écrire dans le noir ?
Bien sûr !

Super ! Alors, signe mon carnet !

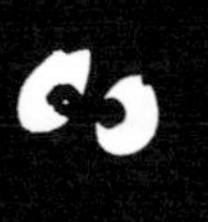

– Toto ! Il me semblait t'avoir demandé de dessiner l'animal de ton choix sur le tableau... Et tu n'as rien fait !!

– Ben si, maîtresse. C'est un chat noir qui se promène la nuit...

HÔTEL DE LA PLAGE

Redis voir, Papa... Combien on économise, déjà, en prenant nos vacances hors saison ?

Toto et Flagada rentrent de l'école.
Toto demande
à Flagada :
– Tu sais qui c'est,
l'animal le plus
rapporteur ?
– Non...

– Ben, c'est le cheval !

– Comment ça ?!

– Parce que cheval dire à ma mère...

Toto prend le téléphone :
– Docteur, venez vite !
Ma petite sœur Zaza
vient d'avaler
le boulon du
presse-purée !!

Cinq minutes plus tard,
Toto rappelle :
– Docteur, ce n'est plus
la peine de vous déranger.
Maman va faire des frites...

Toto fait le mendiant devant l'église, à la sortie de la messe.

– Madame, s'il vous plaît,
mon père est paralysé,
ma mère est morte,
je dois faire vivre mes
cinq petits
frères et sœurs...
Donnez-moi
quelques euros...
– Espèce de
petit menteur, va !
...
– Et alors !
Et si c'était vrai ?!

Toto discute avec Flagada.
– Toto, il fait quoi déjà, ton papa ?
– il travaille dans un ministère.
– Et ta maman ?
– Elle ne fait rien non plus...

– Maîtresse, je suis désolé, mais je n'arrive pas à résoudre ce problème.
– Mais enfin, Toto, un enfant de 5 ans saurait le faire !!
– Ah ben, je comprends mieux pourquoi je n'y arrive pas ! Je vais bientôt avoir 9 ans !!

– Maman, Maman !
crie Toto.
C'est vrai que quand
on meurt, on devient
poussière ?
– Oui, mon chéri.
– Alors, viens vite voir,
il y a un mort
sous mon
lit !

Aujourd'hui, c'est mercredi, et Toto va au catéchisme.
Le curé explique aux enfants :
– Comme vous le savez, le bon Dieu a ressuscité d'entre les morts le troisième jour. Mais à votre avis, où se trouve-t-il désormais ?

Dans l'assemblée, des mains se lèvent pour répondre.
Mimi explique ainsi :
– Eh bien, le bon Dieu est monté au Paradis.
Une autre petite fille renchérit :
– Mais en fait, le bon Dieu, il est dans chacun de nos cœurs...

Toto lève la main à son tour :
– Moi, moi ! mon père, je sais !
Le bon Dieu, il est dans notre salle de bains !
Un peu abasourdi, le curé demande :
– Voudras-tu bien nous expliquer par quel miracle le bon Dieu se trouve désormais dans ta salle de bains, Toto ?
– C'est simple, répond Toto. Chaque matin, mon père se lève, va pour aller dans la salle de bains... et finit toujours par taper à la porte en disant :
« **Bon Dieu, t'es encore là ?!!** »

Allez, les enfants, encore deux petites minutes, et je ramasse les copies...
CLAP!
CLAP!
Merci, Mimi...

Tu sais, Toto, je n'aime pas trop ça... J'espère que tu n'as pas copié mot à mot.

Ne t'en fais pas, j'ai copié à la perfection.

Flagada... Kevin... Rémi... Marie... Gogo... Clara...

Toto ! Comment ça se fait que je n'aie pas ton devoir et que j'en aie deux au nom de Mimi ?...

– Tu voudrais bien un petit chien, n'est-ce pas ? dit une dame à Toto, dans la rue.

– Moi, oui !... Mais ma mère ne voudra jamais le laisser entrer chez nous, avec ses pattes sales.

– Et ton père ?

– Oh ! lui, ma mère le fait se déchausser en rentrant...

À la cantine…
Franchement, Toto, quelle différence entre ce qu'on a à manger à la cantine et ce qu'on donne à des cochons !?
Ici, on le sert sur des plateaux !

La maîtresse enrage.

– Toto, tu ne t'es pas brossé les dents !
On peut encore voir les morceaux
de salade que tu as mangés hier !!

– Ben non, c'est avant-hier que
j'ai mangé de la salade...

Toto et Flagada passent devant un magasin de chaussures.

– Tiens, dit Flagada, j'ai l'impression qu'il y a Gogo dans ce magasin...

– C'est sûr ! répond Toto. Il n'y a que Gogo pour essayer les boîtes !

B'jour, Maman !

Tu t'es encore battu, Toto ! Regarde dans quel état tu es. Tu as même perdu tes deux dents de devant...

Pas du tout, Maman ! Je les ai gardées dans ma poche...

Mimi demande à Toto ce qu'il a reçu pour son anniversaire.

– Ma mamie m'a offert une trompette ! C'est le plus beau cadeau que j'aie reçu de toute ma vie !!
– Ah bon ? s'interroge Mimi, un peu surprise.
– Ah ben oui ! Depuis, mes parents me donnent un euro chaque semaine pour que je n'en joue pas !